Texte et dessins
Oliviero

ZIZANIE
et compagnie

Grobizou

d'après Botticelli -

EDITIONS TABARY

B.P. 10 - 17250 Pont l'Abbé d'Arnoult - Tél. 05 46 97 05 55 - Fax 05 46 97 10 41

ZIZANIE, le coup de foudre de TABARY !

ZIZANIE est née de l'imagination de Jean-Claude OLIVIÉRO, et découverte par TABARY en 1998, qui a le coup de foudre pour cette petite bonne femme pleine de sensualité et d'esprit.

OLIVIÉRO a son style et beaucoup de talent, il joue avec les mots comme il joue avec la féminité de son personnage.

ZIZANIE est publiée pour la première fois en février 1999 dans le magazine de Bande-Dessinée "CORINNE ET JEANNOT", et remporte un succès immédiat auprès des lecteurs qui ne cessent de lui écrire.

ZIZANIE, une femme actuelle !

L'environnement de ZIZANIE est composé d'une compagnie de personnages très typés qui lui rendent la vie plus animée.

Cette jeune femme de notre temps est dynamique, rigolote, et sexy.

Parfois elle se montre impulsive, mais c'est uniquement parce qu'elle n'a pas tout compris.

Parfois elle est un peu coquine, mais c'est en toute innocence… Enfin, on le croit.

Au fond elle est très gentille, et s'occupe au mieux de son petit frère GROBIZOU, de son "fiancé" AZIMUT, et de BENZOÏNE sa meilleure copine.

Bonne lecture

L'AFFAIRE SUIT SON COURS...

ET MAINTENANT LES ENFANTS, REPRENONS NOTRE COURS DE MATHÉMATIQUES !

GROBIZOU AU TABLEAU !

QUI ? MOI ?

ÉCRIS : "SOIT n UN ÉLÉMENT DE L'ENSEMBLE ℕ DES ENTIERS NATURELS...

POURQUOI TANT DE N, MADAME ?

Soit n

PETIT RIGOLO ! TU TE CROIS DANS UNE B.D. ? SI TU TRAVAILLES SÉRIEUSEMENT, TU POURRAS FAIRE DU DROIT COMME TA SŒUR !...

MAIS J'ME TIENS DROIT M'DAME !

...ET PEUT-ÊTRE MÊME L'X*!

MAIS... J'LE FAIS DÉJÀ !

*c'est-à-dire l'École Polytechnique

EN VOILÀ ASSEZ ! BONNET D'ÂNE ET AU COIN !

VLAN !

PAS COMMODE LA PROF !

C'EST COMME ÇA : ELLE A LA QUARANTAINE RUGISSANTE !...

JE NE SUPPORTE PAS QU'ON SE SERVE DE MOI POUR HUMILIER UN ANIMAL !

EN PLUS, CE FICHU COIN ME RAPPELLE LES MATHÉMATIQUES ! (PAS MOYEN D'Y ÉCHAPPER !...)

Plus tard...

LES MATHS ME TUENT !

ÇA VAUT QUAND MÊME MIEUX QUE LES CALCULS RÉNAUX !

ZOU !

TIENS, VOILÀ MA SŒUR QUI EST VENUE ME CHERCHER !

COUCOU !

ÇA VA, GROBIZOU ? ÇA VA, GOURMETTE ?

SMOUIC !

TOUT S'EST BIEN PASSÉ ?

À MERVEILLE !

TU NE LUI PARLES PAS DU COURS DE MATHS ?

PAS LA PEINE ! MA SŒUR A FAIT DU DROIT, ET COMME ELLE LE DIT TOUJOURS...

..."ON NE DIVULGUE PAS LES SECRETS DE L'INSTRUCTION" !

OLIVIÉRO

OPÉRA-BOUFFE

C'EST QUAND MÊME UN BEAU BÂTIMENT!

DOMMAGE QU'IL Y AIT TOUT CE VERT-DE-GRIS SUR LE TOIT!

BAH!.. ENCORE UN OPÉRA DE VERDI!

TROIS PLACES AU POULAILLER, S'IL VOUS PLAÎT!

POULAILLER?

ALLONS, VIENS, MON POUSSIN!

?

TU AS VU LE PLAFOND, GROBIZOU? IL A ÉTÉ PEINT PAR CHAGALL!

...ET MIEUX VAUT DANSER SOUS UN CHAGALL QUE DEVANT LE BUFFET!

Enfin le rideau se lève...

EH, PAS MAL, POUR DES PETITS RATS!

CELLE-CI EST QUAND MÊME TRÈS MAIGRE!

EN EFFET... UN VRAI CORPS DE BALAI!

ET LÀ, REGARDE! C'EST LA DANSEUSE ÉTOILE!

COMMENT PEUT-ON RESSEMBLER À ÇA?

DES ANNÉES DE TRAVAIL!..

Puis le spectacle s'achève...

BRAVO!

CLAP! CLAP!

CLAP! CLAP!

CLAP! CLAP!

CLAP!

CLAP!

MANGEONS UN MORCEAU ICI, C'EST ENCORE OUVERT!

QUE PRENDRA LE JEUNE HOMME?

UNE SOUPE AVEC BZZZ BZZZ BZZZ...

ENTENDU!

TON CHOIX NOUS ÉTONNE, GROBIZOU!

IL EST POURTANT ÉVIDENT : CETTE SOUPE AVEC SES PÂTES "ALPHABET" QUI SURNAGENT...

...C'EST UN VÉRITABLE LAC DES SIGNES!

! !

O.IVIÉRO

6

FIDÈLE AUX POSTES

DRELIN! DRELIN! Zizanie

TIENS, C'EST VOUS, MONSIEUR RHÉSUS?

CE N'ÉTAIT PAS DIFFICILE À DEVINER: LE FACTEUR SONNE TOUJOURS 2 FOIS!

MAIS ENTREZ DONC!

C'EST GENTIL, CHEZ VOUS!... BEAUCOUP DE CACHET!

ÇA NE VAUT SANS DOUTE PAS LE CACHET DE LA POSTE!

ÇA C'EST SÛR: IL FAIT FOI!

IL FAIT FROID? VOUS VOULEZ QUE JE MONTE LE CHAUFFAGE?

NON-NON, TOUT VA BIEN!

VOUS PRENDREZ BIEN QUELQUE CHOSE!

D'ACCORD, MAIS PAS PLUS HAUT QUE LE VERRE!

GLOUP!

ET À PART ÇA, QU'EST-CE-QUI VOUS AMÈNE?

LA NOUVELLE ANNÉE: MEILLEURS VŒUX, ZIZANIE!

SMOUIC! SMOUIC! SMOUIC! SMOUIC! SMOUIC! SMOUIC!

SIX BISES!?!

DANS MA PROVINCE, C'EST PLUTÔT HUIT, MAIS JE NE VOUDRAIS PAS PARAÎTRE FAMILIER!

J'AI AUTRE CHOSE POUR VOUS: UNE LETTRE DE L'ÉTRANGER!

PAS DE L'ÉTRANGER DE MON COPAIN AZIMUT! IL EST ACTUELLEMENT EN VOYAGE D'ÉTUDE AU GRATÉMOILÀ.

IL Y A UN SUPPLÉMENT À PAYER!

LA PROCHAINE FOIS, JE LUI DEMANDERAI DE PESER SES MOTS!

EN PLUS, CETTE LETTRE A MIS UN TEMPS FOU À M'ARRIVER!

C'EST À CAUSE DES AVIONS **LONG** COURRIER!

...OU PEUT-ÊTRE, DU **FACTEUR** TEMPS!..

IL POURRAIT TOUT DE MÊME M'ÉCRIRE DES PHRASES CORRECTES: SUJET, VERBE, COMPLIMENT...

TOUT LE MONDE N'EST PAS HOMME DE LETTRES!..

VOUS ÊTES TOUJOURS LÀ?

BIEN-SÛR, J'AI DES CALENDRIERS À VENDRE!

QU'EST-CE QUI VOUS DIRAIT? UN CHALET SOUS LA NEIGE? UN GROS CHIEN? DES P'TITS CHATS?

CE N'EST PAS UN PEU KITSCH, TOUT ÇA?

JUSTEMENT, VOUS POURREZ L'ACCROCHER DANS VOTRE KITCHENETTE!

...ALORS JE PRENDS LES P'TITS CHATS: C'EST CE QUE CHOISIRAIT GROBIZOU MON PETIT FRÈRE!

À PROPOS DE GROS BISOUS, IL VA FALLOIR QUE J'Y AILLE!

VOUS N'ALLEZ PAS ENCORE ME FAIRE SIX BISES!!!

PLUTÔT 8, MAINTENANT QU'ON SE CONNAÎT!

CROYEZ-MOI, ZIZANIE! POUR VOTRE ÉQUILIBRE...

...NE NÉGLIGEZ PAS LE FACTEUR AFFECTIF!

SMOUIC! SMOUIC! SMOUIC!

OLIVIÉRO

UNE BONNE DÉGELÉE

9

UN EMPLOI PAS BIDON

DRELIN!

OH_LA_LA! CE MATIN J'AI UN ENTRETIEN D'EMBAUCHE!..

QUELLE ROBE CHOISIR? VOILÀ LE DILEMME!...

Finalement...

J'AI RENDEZ_VOUS À 10h.30 AVEC MONSIEUR BULLDOZER!.. JE VAIS LE PRÉVENIR!

AH OUI! LA JEUNE FILLE QUI VIENT POUR LE POSTE VACANT? POURVU QUE ÇA NE SE PASSE PAS COMME AVEC LE CANDIDAT D'AVANT_HIER!..

QUAND JE LUI AI DIT QUE NOUS RECHERCHIONS UN JEUNE LOUP, IL M'A SAUVAGEMENT MORDU AU POIGNET! IL AVAIT L'AIR SUR LES DENTS!

ALLONS, FAITES ENTRER!

QUEL EST VOTRE NIVEAU D'ÉTUDES? LICENCIÉE! TRÈS BIEN, CE N'EST PAS INCOMPATIBLE AVEC UNE EMBAUCHE!

DU RESTE, NOUS NE RECHERCHONS PAS FORCÉMENT UN PROFESSIONNEL POINTU... ÇA ME RASSURE, JE NE SUIS FAITE QUE DE CERCLES!

...MAIS PLUTÔT UN JEUNE L.... ENFIN...QUELQU'UN "QUI EN VEUT"!

EST_CE QUE VOUS EN VOULEZ, MADEMOISELLE? OH NON, MERCI BIEN! QUE ME PROPOSE_T_IL AU JUSTE?

JE VEUX DIRE...VOUS SENTEZ_VOUS PRÊTE À "FONCER DANS L'TAS"?

ÉCOUTEZ ... SI VOUS INSISTEZ...

OUF!

PLOF!

SORTIE

JE VOUS ENGAGE!

MON DIEU MON DIEU!

DANS LA VIE, IL FAUT PARFOIS Y ALLER "À L'ESTOMAC"!

Oliviéro

10

LETTRE MORTE

AH! VOILÀ LE FACTEUR!

MADEMOISELLE ZIZANIE! QUELLE BONNE SURPRISE!!!

BONJOUR FACTEUR! PAS DE LETTRE DE MON COPAIN AZIMUT?

TOUJOURS AU GROSSO-MODO CELUI-LÀ?

NON, AU GRATÉMOILÀ!

CE SERA SÛREMENT POUR DEMAIN!

ALLEZ, AU-REVOIR!

SMOUIC! SMOUIC! SMOUIC!

DITES DONC, VOUS ABUSEZ! J'AI COMPTÉ DIX BISES!

DIX? AH NON! HUIT, PAS PLUS!

SI VOUS VOULEZ, JE RECOMMENCE ET VOUS VERREZ BIEN!

NON, ÇA IRA!

REDOUTABLE, LE FACTEUR!

Quelques jours plus tard...

VOILÀ AZIMUT! IL VA ÊTRE BIEN REÇU!..

FALUT, VIVANIE! FA VA?

QU'EST-CE QUE C'EST QUE CETTE PRONONCIATION? L'ACCENT GRATÉMOILTÈQUE?

TOUVOURS AUFFI VOLIE?

SI TU CROIS M'ACHETER AVEC TES COMPLIMENTS...

PAS T'AFETER, VIVANIE! FEULEMENT TE LOUER!

TU NE M'AS MÊME PAS ÉCRIT!

MAIS FI BIEN-FÛR! TOUS LES VOURS!

SNIF!

...ET POURQUOI PARLES-TU COMME F... COMME ÇA?

VE NE FAIS PAS!

IL FAUT TIRER CELA AU CLAIR, AZIMUT! VITE, CHEZ LE DOCTEUR!

!

TIENS, MADEMOISELLE ZIZANIE!

C'EST POUR MON COPAIN, DOCTEUR! IL A LUI AUSSI DES PROBLÈMES DE LANGUE!

VOYONS VOIR... MAIS, MA PAROLE... VOUS ÊTES TIMBRÉ!

...ET ME VOILÀ AFFRANCHIE: JE NE RISQUAIS PAS DE RECEVOIR TES LETTRES!

Oliviéro

ZIZANIE SE FAIT DOUBLER

...C'EST DONC AVEC UNE VIVE ÉMOTION QUE JE QUITTE CETTE ENTREPRISE QUI ME DOIT TANT !

BRAVO!
CLAP! CLAP! CLAP! CLAP!

ALORS CHER COLLÈGUE, COMMENT SE PRÉSENTE VOTRE RETRAITE ?

MA FOI... SOUS LES MEILLEURS AUSPICES !

LES MEILLEURS HOSPICES ? ALLONS DONC, VOUS ÊTES EN PLEINE FORME !

ET VOTRE GRAND FILS OÙ EN EST-IL?

IL ESSAIE D'ÊTRE NÉGOCIANT EN VIN !

EN VAIN ? MAIS NON MAIS NON, IL Y ARRIVERA !

TAP! TAP!

OH-LA-LA! IL FAUT QUE J'Y AILLE, ZIZANIE M'ATTEND ! (ON DOIT REGARDER LA TÉLÉ ENSEMBLE...)

CHER PATRON, VOTRE MEILLEUR ÉLÉMENT DOIT PRENDRE CONGÉ, SA VIE PRIVÉE L'ACCAPARE !

ALORS ALLEZ-Y, MON BON AZIMUT !

SALUT À VOUS, HONORABLES CLIENTS !

HI! HI! HI!

COMME ON DIT AU PAYS DU SOLEIL LEVANT...

...VOUS ALLEZ VOUS FAIRE SAKÉ !

ILS N'ONT PAS TORT, J'AI DU SUSHI À ME FAIRE !...

MAIS N'OUBLIONS JAMAIS QUE LA MEILLEURE DÉFENSE, C'EST L'ATTAQUE !

CETTE FOIS, IL VA M'ENTENDRE !

TOC! TOC!

ALORS LÀ, VRAIMENT, ZIZANIE, TU EXAGÈRES !

TU T'ES VUE QUAND J'AI BU ?

O'LIVIÉRO

LARD POUR L'ART

L'AVIDE BUREAU

DUR-DUR, LE TRAVAIL DE BUREAU!

IL FAUT, CHAQUE MATIN, SE MAQUILLER EN HÂTE DANS LES TRANSPORTS EN COMMUN...

MOI AUSSI J'SAIS FAIRE DES GRIMACES!

... SUPPORTER LA RUSTICITÉ DE CERTAINS COLLÈGUES ...

BURP!

ENCORE UN RENVOI D'ASCENSEUR!...

...TRAVAILLER TOUTE LA JOURNÉE SUR ÉCRAN ...

VIVEMENT CE SOIR QU'ON REGARDE LA TÉLÉ!

TU L'AS DIT!

TAP! TAP! TAP!

TAP! TAP! TAP!

...ACCEPTER LES REMONTRANCES DE CERTAINS "PETITS CHEFS"...

L'EFFERVESCENCE, JE L'AIMERAIS DANS LE TRAVAIL, PAS AU FOND DES VERRES!

PSSHHH...

... ET NE S'INTERROMPRE QUE POUR UN MAIGRE REPAS ...

ATTENTION! LE DESSERT, C'EST YAOURT **OU** BISCUIT!

...ET DE COURTES PAUSES, OÙ LA SECTE COMMUNIE AUTOUR DE SON IDOLE.

MACHI NAKAFÉ!

MACHI NAKAFÉ!

MAIS CETTE FOIS, C'EN EST TROP! VOILÀ PLUS D'UN MOIS QUE JE SUIS ICI, ET JE N'AI TOUJOURS PAS ÉTÉ PAYÉE! JE VAIS DEMANDER UN RENDEZ-VOUS AU GRAND PATRON!

MONSIEUR BULLDOZER VEUT BIEN VOUS RECEVOIR, MAIS IL VOUS DEMANDE DE FAIRE COURT!

JE ME SUIS HABILLÉE COMME D'HABITUDE!

PARDON MONSIEUR...

J'AI DEMANDÉ À VOUS VOIR, CAR CELA FAIT UN MOIS QUE JE TRAVAILLE POUR VOUS GRATUITEMENT!

JE SAIS, MADEMOISELLE ZIZANIE! MALHEUREUSEMENT, VOS LECTEURS ET MOI-MÊME PARTAGEONS LE MÊME AVIS:

VOUS ÊTES **IMPAYABLE** !!!

LA VEINE D'UN GRAND CHEF

AAAH!.. LE BONHEUR DE SE PRÉLASSER DANS SON BAIN EN LAISSANT ERRER SES PENSÉES!..

DRRRRIiiING!

À L'EAU?

DRRRRIiiING!

!

DOMMAGE QUE LA DOUCHE NE FASSE PAS AUSSI TÉLÉPHONE!

ALLÔ?........ AZIMUT?

NON_NON, PAS DU TOUT!

TU M'INVITES CE SOIR? MAIS TU N'AS MÊME PAS LA TÉLÉ!

..TU FAIS LA CUISINE ??? JE TE VOYAIS PLUTÔT EN "VIDEUR DE BOÎTES"!

LOIN DE MOI CE GENRE DE FACILITÉS! ET JE TE PROMETS UNE SOIRÉE EXCEPTIONNELLE!

JE VAIS TOUT DE MÊME Y ALLER EN AVANCE, IL AURA SÛREMENT BESOIN D'AIDE!

DRELIN!

Mr AZIMUT

DÉJÀ LÀ, ZIZANIE?

JE TENAIS À VOIR L'AVANCEMENT DES TRAVAUX!

EH BIEN VOILÀ : AU PLAFOND, TU AS LES CRÊPES...

..ET AU SOL, LA CRÈME RENVERSÉE!

JE VOIS JE VOIS! ET TU AS PRÉVU UNE ENTRÉE?

OUI, DES HUÎTRES!

DRÔLE DE MENU!

EH BIEN VA OUVRIR TES HUÎTRES, C'EST UN TRAVAIL D'HOMME! (JE M'OCCUPE DU RESTE!)

JE NE LUI DEMANDERAI MÊME PAS DE TOURNER LA SALADE, IL SERAIT CAPABLE D'ALLER CHERCHER SON CAMESCOPE!

ÇA Y EST, J'AI OUVERT LES HUÎTRES!

..ET TU AS TROUVÉ UNE PERLE POUR MOI?

NON, SEULEMENT DES PETITES COUPURES!

MAIS C'EST HORRIBLE, TU SAIGNES DE PARTOUT! J'APPELLE LES URGENCES!

Et, dans l'ambulance...

PIN - PON - PIN - PON -

PROMESSE TENUE, AZIMUT! ON VIT VRAIMENT DES MOMENTS EXCEPTIONNELS!

15

FAUX PAS POUR AZIMUT

LAISSE LA TÉLÉ, AZIMUT! CE SOIR, ON SORT!

AU CINÉMA? TRÈS BIEN, L'ÉCRAN SERA PLUS GRAND!

NON, AZIMUT! ON VA DANSER!

OH NON, PAS ÇA!

BENZOÏNE ET SON COPAIN CHRIST-ALAIN DOIVENT PASSER ICI D'UN MOMENT À L'AUTRE!

DRELIN!

D'AILLEURS, LES VOILÀ!

AZIMUT, CHRIST-ALAIN, CHRIST-ALAIN, AZIMUT.

JE VOIS... VOUS AVEZ LE MÊME PROBLÈME!

DE TOUTE FAÇON, JE N'IRAI PAS!

SI! JE DOIS ÊTRE ACCOMPAGNÉE POUR POUVOIR ENTRER!

DE TOUTE FAÇON, JE NE DANSERAI PAS!

COMME TU VOUDRAS, AZIMUT!

...ZIM! BOUM!...

NOUS VOICI À PIED D'ŒUVRE!...

REGARDE, AZIMUT! C'EST FACILE! IL FAUT SE LAISSER ALLER ET SUIVRE LE RYTHME!

QUELLE PITIÉ!

A TE TORTILLER COMME ÇA, TU AS TOUT DE L'ASTICOT!

SYMPA, TON COPAIN!

C'EST POUR MIEUX APPÂTER, MON ENFANT!

ET MAINTENANT, LE SLOW! TU VIENS, CHRIST-ALAIN?

'PAS D'REFUS!

CRAC!

J'AIMERAIS BEAUCOUP ÊTRE TA CAVALIÈRE, AZIMUT!

CERTAINEMENT! MONTE, BENZOÏNE!

JE PIAFFE D'IMPATIENCE!

DÉSESPÉRANT!

POURRAIS-TU MARCHER AILLEURS QUE SUR MES PIEDS?

J'ESSAYE, ZIZANIE, J'ESSAYE!

JE SENS QUE TU AS UNE DENT CONTRE MOI!...

UNE SEULE? VRAIMENT?

Cependant...

VOUS FAITES QUOI, DANS LA VIE?

JUGE! IL Y EN A BEAUCOUP ICI CE SOIR!

TIENS DONC!... ET POURQUOI?

VOUS NE LISEZ PAS LES JOURNAUX? EN CE MOMENT, LES JUGES MÈNENT LE BAL!

MINUIT, MOI JE RENTRE! FINIES LES DANSES RITUELLES!

IL EST PAS MARRANT!

ALORS, AZIMUT... QU'EST-CE QU'IL Y A?

RIEN... UNE CONTREDANSE!...

Oliviéro

17

QUELLE CLASSE !

ET MAINTENANT LES ENFANTS...

ET MAINTENANT BANDE DE CHENAPANS...

...VOUS POUVEZ QUITTER LA CLASSE EN SILENCE !

...SORTEZ D'ICI, JE VOUS AI ASSEZ VUS !

OUAAAiiiis !

EH BIEN CHÈRE COLLÈGUE, COMMENT ÉTAIENT_ILS AUJOURD'HUI ?

TRÈS EN FORME, COMME D'HABITUDE !..

ON N'ENSEIGNE PEUT_ÊTRE PAS...

...MAIS CE QUI EST SÛR...

...C'EST QU'ON EN BAVE !

Cependant...

TU ATTENDS AVEC MOI, GOURMETTE ? MA GRANDE SŒUR EST EN RETARD !

O.K., GROBIZOU !

TOUT DE MÊME, NOTRE PROF !.. QUELLE AUSTÉRITÉ, QUELLE ABSENCE DE CHARME, QUELLE...

...TOUT LE CONTRAIRE DE CETTE DAME QUI SORT DE L'ÉCOLE !

BONSOIR, GROBIZOU !

ELLE ME CONNAÎT ?

NATURELLEMENT, C'EST NOTRE PROF !

PLOF !

GROBIZOU ?

Peu après....

TU AS ÉTÉ ATTENTIF, AUJOURD'HUI ?

NE VOUS EN FAITES PLUS POUR ÇA, MADEMOISELLE ZIZANIE !.. GROBIZOU ÉPROUVE DEPUIS PEU UN VIF INTÉRÊT...

... POUR LE CORPS PROFESSORAL !

ABDOS EN CRISE

Crois-moi, Benzoïne! Si nous voulons rester jeunes et belles, nous devons FAIRE DU SPORT!

C'EST BIEN ICI, LE COMPLEXE SPORTIF?

Ici, SES COMPLEXES, ON LES LAISSE AU VESTIAIRE! COMPRIS?

D'ACCORD, D'ACCORD! JUSTEMENT, ON AIMERAIT CONNAÎTRE VOS ACTIVITÉS!

TRÈS BIEN, JE VOUS FAIS FAIRE LE TOUR DES SALLES!

Voilà CELLE DE BASKET!

MOUAIS...ÇA NE NOUS INTÉRESSE PAS!

AH NON? ET POURQUOI?

ON A NOS RAISONS!

QU'EST-CE QUI TE PREND, ZIZANIE?

TU N'AS PAS REMARQUÉ? LES FILETS SONT PERCÉS!

BON...VOILÀ LA SALLE DE GYM!...

TU AS ENTENDU LEUR PROF? IL LEUR DIT: «SOUFFREZ, EXPIREZ!»

CHARMANT PROGRAMME!

...ET JE GARDAIS LE MEILLEUR POUR LA FIN: LA SALLE DE MUSCULATION!

LA SALLE DE TORTURE, QUOI!

C'EST DU JÉRÔME BOSCH!

GNNNN... OOOOH! OUAAH!

PEUT-ÊTRE, MAIS VOUS AURIEZ DE BEAUX ABDOMINAUX COMME LES MIENS!

ALORS?..VOUS AVEZ FAIT VOTRE CHOIX?

PAS ENCORE, MAIS ON REPASSERA! SALUT!

QUELLE DISCIPLINE TE TENTE ZIZANIE?

JE VAIS TE LE DIRE, MAIS ATTENDS-MOI CINQ MINUTES!

ALIMENTATION

ALORS?

LA MUSCULATION!

?

ALIME

...À CAUSE DE LA "TABLETTE DE CHOCOLAT"!

ALLEZ, ON PARTAGE!

HUMMM! CLAC!

OLIVIÉRO

CHANTIER, MAINTENANT !

JE VOUS AI CONVOQUÉE DANS MON BUREAU, MADEMOISELLE ZIZANIE, CAR, COMME TOUTES NOS JEUNES RECRUES, VOUS ALLEZ DEVOIR EFFECTUER UN STAGE SUR CHANTIER !

MÊME MOI, MONSIEUR BULLDOZER ? UNE FAIBLE FEMME ?

ABSOLUMENT ! ENSUITE VOUS RÉINTÉGREREZ NOS BUREAUX, FORTE D'UNE EXPÉRIENCE IRREMPLAÇABLE !

JE VOUS CONFIE DONC POUR QUELQUES TEMPS À NOTRE CHEF DES TRAVAUX, MONSIEUR MARCEL ATROU !

SALUT, LA P'TITE DAME !

Une semaine plus tard...

EH BIEN, MONSIEUR ATROU, COMMENT SE COMPORTE NOTRE ZIZANIE ?

COMME UN OURAGAN, PATRON !..

...ELLE N'A PAS SON PAREIL POUR PILOTER UNE PELLE MÉCANIQUE...

VRAOUM !

...ÉVOLUER EN HAUT D'UNE GRUE...

TRA-LA-LA...

...OU DIRIGER NOS HOMMES :

ALLONS, LES GARS ! CE N'EST QUAND MÊME PAS UNE PETITE PLUIE DE RIEN DU TOUT QUI VA VOUS ARRÊTER !

CETTE ONDÉE PRINTANIÈRE HYDRATE MA PEAU !

!

QUANT AU BAIN DE BOUE, RIEN DE TEL POUR SE DÉSTRESSER !

!!

Cependant, dans le hall d'accueil...

LE SAUCISSON, Y'A QU'ÇA D'BON !

GNAM GNAM

T'EN VEUX UN BOUT, MA COCOTTE ?

MERCI, SANS FAÇON ! VOUS POUVEZ Y ALLER, CES MESSIEURS VOUS ATTENDENT !

ENTREZ MADEMOISELLE, NOUS VOULONS VOUS EXPRIMER NOTRE SATISFACTION !

GRÂCE À VOUS, NOTRE ENTREPRISE VA TENIR SES DÉLAIS, CE QUI N'ÉTAIT JAMAIS ARRIVÉ DEPUIS SA FONDATION EN 1837 !

...ET NOUS ALLONS POUVOIR ABORDER TRÈS PROCHAINEMENT LA 2ème TRANCHE DE TRAVAUX !

LA DEUXIÈME TRANCHE, JE L'ATTAQUE TOUT D'SUITE ! LE GRAND AIR ÇA M'CREUSE !

MAIS C'EST PAS TOUT ÇA ! Y'A ENCORE DU BOULOT ET LES GARS M'ATTENDENT !

VOUS AVEZ VU, PATRON ? QUELQUES JOURS DE "TERRAIN" ONT SUFFI À FAIRE DE MADEMOISELLE ZIZANIE...

?

...UNE AUTHENTIQUE INTELLECTRUELLE !

!

DÉCOR HÂTIF

Aujourd'hui, Grobizou, nous t'emmenons voir des peintures préhistoriques !

CHOUETTE !

« LES PEINTURES DES GROTTES DE VÉLOSILEX ONT ÉTÉ INSCRITES PAR L'UNESCO AU PATRIMOINE DE L'HUMANITÉ ! »

QUEL PUITS DE SCIENCE, CET AZIMUT ! (LE GUIDE ENTRE LES MAINS !)

« LEUR TRAIT ÉPURÉ ET LEUR STYLE PLEIN DE FRAÎCHEUR EN FONT UN SOMMET DE L'ART PALÉOLITHIQUE ! »

UN SOMMET AU FOND D'UNE GROTTE ?

ÇA Y EST, J'AI VU UNE PEINTURE !

MAIS, ZIZANIE ...

SCRITCH !

LE CADRE TRIANGULAIRE AVAIT SÛREMENT UN SENS SACRÉ !

MAIS BIEN... SÛR !...

SACRÉE ZIZANIE !

CLIC !

RRRR...

Enfin, la "vraie" visite a lieu.

LA GROTTE SERA BIENTÔT FERMÉE AU PUBLIC, CAR LA RESPIRATION DES VISITEURS ABÎME LES PEINTURES !

NE RESPIRE PAS TROP FORT, GROBIZOU !

ÇA VA ÊTRE SIMPLE !

VACHEMENT BEAU !!!

TU L'AS DIT !

LES GENS DE CE TEMPS-LÀ N'ÉTAIENT PAS COMPLIQUÉS !

BEURK ! ILS ÉTAIENT SURTOUT PEU ÉVOLUÉS !

TU CROIS ? POURTANT, ILS CONNAISSAIENT DÉJÀ INTERVILLES !

N'OUBLIEZ PAS LE GUIDE !

PROMIS, ON NE VOUS OUBLIERA PAS !

C'ÉTAIENT VRAIMENT DES ARTISTES !

Quelques jours plus tard...

JE ME SENS TRÈS ARTISTE, AUJOURD'HUI !

GROBIZOU !!!

MAIS ENFIN, ZIZANIE ...PENSE AU PATRIMOINE DE L'HUMANITÉ !!!

PLAF PLAF PLAF PLAF !

Oliviér

22

RETOURNEMENT DE SITUATION

Qui c'est ce joli cœur ?

Monsieur Lucas Zanova, notre nouveau D.R.H*!

TAP! TAP! TAP!

*Directeur des Ressources Humaines.

Il a très vite fait sienne la devise de la société : « Entreprendre entreprendre !»

Mademoiselle Zizanie? Nous devons apprendre à mieux nous connaître! Rendez-vous demain à 8 heures dans mon bureau !

GLUPS!

Le lendemain...

Tu changes de look, Zizanie ?

Vu les circonstances je préfère !

Cette trace de rouge à lèvres sera ma seule concession à la féminité !

Entrez, Mademoiselle Zizanie !

On m'a déjà dit sur vous le plus grand bien !

Dans ce cas, allons tout de suite à l'essentiel !

Tout-à-fait ! Ouvrez cette chemise !

« Ouvrez cette chemise » ? Espèce de goujat, comment osez-vous ?

TCHAK!

Je voulais parler de cette chemise posée sur mon bureau !

OUPS! DÉSOLÉE !...

Je suis un peu impulsive !

Ce n'est pas grave ! On excuse bien des paroles quand elles s'échappent de ces lèvres à l'éclat purpurin !..

« PUR PURIN » ! LES INSULTES, À PRÉSENT! CETTE FOIS, C'EN EST TROP !

RE-TCHAK!

Quelques jours plus tard...

On ne voit plus monsieur Zanova !

Normal, il est juste sous tes pieds!

TAP! TAP!

TAP! TAP!

Sous mes pieds? Il est mort ?

NON! MAIS IL A DEMANDÉ ET OBTENU SA MUTATION AUX ANTIPODES !

RENVERSANT, NON ?

RAMASSAGE SCOLAIRE

MA GRANDE SŒUR NE PEUT PAS VENIR ME CHERCHER CE SOIR...

TU M'ACCOMPAGNES JUSQUE CHEZ MOI?

ÇA MARCHE!

MAIS, GROBIZOU... CE N'EST PAS PAR LÀ!

SANS DOUTE, MAIS NOTRE PROF S'EN VA PAR LÀ!

ON NE SUIT PAS LES GENS COMME ÇA, VOYONS!

QUAND JE S'RAI GRAND, JE TRAVAILLERAI DANS UNE FILATURE!...

OH! SCANDALEUX!

SOCIÉTÉ JE TE HAI!

ON NE PEUT PAS LAISSER PASSER UNE CHOSE PAREILLE! HEUREUSEMENT, J'AI TOUJOURS UN MARQUEUR AU FOND DE MON SAC!

VOILÀ QUI EST MIEUX!

SOCIÉTÉ JE TE HAI

ALORS ELLE TAGUE LES MURS?

À SON ÂGE?

HEIN? MAIS NON, VOYONS! JE CORRIGE LES FAUTES!

ELLE EXPLIQUERA ÇA AU POSTE!

C'EST QUAND MÊME UN PEU RUDE!..

INCROYABLE! NON SEULEMENT ELLE TAGUE LES MURS...

...MAIS EN PLUS ELLE PARLE "VERLAN": ELLE A DIT "C'EST UN PEU RUDE" POUR "C'EST UN PEU DUR"!!!

PEU IMPORTE! ON DOIT LA SAUVER!

ALLONS À LA BIBLIOTHÈQUE MUNICIPALE!

CLING!

Peu après...

ÇA PAR EXEMPLE!

ILS L'ONT RELÂCHÉE!

QUELLE JOIE DE VOUS REVOIR, MADAME!

ON S' DISAIT AUSSI: D'HABITUDE, C'EST PLUTÔT SON MÉDECIN QUI L'ARRÊTE!..

MAIS POURQUOI TOUS CES LIVRES?

C'ÉTAIT POUR VOUS, M'DAME!

"LA LECTURE FAVORISE L'ÉVASION"!

EH BIEN GARDEZ-LES, LES ENFANTS! ET LISEZ-LES BIEN!

...JE COMPTE VOUS METTRE PROCHAINEMENT EN EXAMEN!

ART MANIAQUE

ENCHANTÉE DE T'ACCOMPAGNER À CE NOUVEAU VERNISSAGE !

CETTE FOIS, IL S'AGIT D'UN SALON DE PEINTURE !

IL PARAÎT QUE TOUTES LES TECHNIQUES Y SONT REPRÉSENTÉES : GOUACHE, ACRYLIQUE, AQUARELLE...

J'ESPÈRE TOUT DE MÊME QU'ON POURRA PARLER AUX ARTISTES !

ÇA, C'EST FACILE : L'ARTISTE SE RECONNAÎT À L'HYPERTROPHIE DE SON MOI !

MAIS... ÇA NE SE VOIT PAS !

SANS DOUTE... MAIS ON RENCONTRE GÉNÉRALEMENT L'INDIVIDU...

...EN EXTASE DEVANT SES PROPRES ŒUVRES !

DITES DONC ! VOUS ESPÉREZ VENDRE ÇA ?

C'EST PAS TERRIBLE !

IL FAUT BIEN CASER LA CROÛTE !

ICI PAR CONTRE, BONNE FACTURE !

ET ENCORE, VOUS N'AVEZ PAS VU LE PRIX !

LE PRIX, LE PRIX... ENCORE FAUT-IL QU'IL LA VENDE, SA TOILE !

POUR MA PART, J'AI PAS UN ROND !

ET VOUS !.. C'EST VRAIMENT BIZARRE !!!

PEUT-ÊTRE, MAIS IL Y A UNE CLIENTÈLE POUR ÇA !

BRAVO JEUNE HOMME, J'AIME BEAUCOUP CE QUE VOUS FAITES !

QU'EST-CE QUE C'EST ENCORE QUE ÇA ?

PAS LE BUFFET, J'ESPÈRE !

JE VOIS QUE VOUS VOUS INTÉRESSEZ À MON "INSTALLATION" !...

AH BON ? C'EST DE L'ART, ÇA AUSSI ?

BIEN-SÛR QUE OUI ! DE L'ART CONTEMPORAIN !

"COMPTANT POUR RIEN", VOUS VOULEZ DIRE !...

EN TOUT CAS, CE N'EST PAS DE LA PEINTURE !

BIEN-SÛR QUE SI, C'EST DE LA PEINTURE !

...C'EST UNE HUILE SUR TOILE !

PLAF !

O.iviero

C'EST DU BIO !

Zizanie est partie se détendre quelques jours à la campagne...

J'APERÇOIS LA MAISON AU BOUT DU CHEMIN !...

ZIZANIE !

TATA ! TONTON !

...Et ce sont des embrassades à n'en plus finir...

SMOUIC !
SMOUIC !
SMAC !
SMOUIC !

QUI C'EST, CETTE POULE ?

TU VAS VOIR, TONTON ! JE VAIS BIEN T'AIDER !

Et, le lendemain...

N'AI-JE PAS L'AIR D'UNE VRAIE PAYSANNE ?

HEU...

J'AIMERAIS T'INITIER À L'HORTICULTURE, ZIZANIE ! ÇA TE DIT ?

COMME CI-COMME ÇA, TONTON !

IL EST BIEN GENTIL, MAIS POURQUOI VEUT-IL QUE JE CULTIVE LES ORTIES ?

ALLONS QUAND MÊME VOIR MON POTAGER !

C'EST TOI, TONTON, MON POTE ÂGÉ !

EST-CE QUE TU SAIS COMPOSTER* ?

BIEN-SÛR !

IL SUFFIT DE VALIDER SON BILLET !

* fertiliser une terre avec du compost.

...ET BUTTER* LES PATATES ?

NATURELLEMENT !

* faire une butte au pied de la plante.

ALORS FAIS-LE !

TOUT D'SUITE, TONTON !

IL NE S'AGIRAIT PAS DE LE DÉCEVOIR !...

QU'EST-CE QUE TU FAIS ?

EH BIEN JE M'APPRÊTE À BUTER LES...

PAN !

ÇA PART TOUT SEUL, CES MACHINS-LÀ !

TU VEUX VRAIMENT ME FAIRE PLAISIR ?

OH OUI, TONTON !

ALORS NE FAIS RIEN ! REPOSE-TOI, PROFITE DU SOLEIL...

TANT PIS, JE RENDRAI SERVICE QUAND MÊME ! SOUVENT, IL FAUT FAIRE LE BONHEUR DES GENS MALGRÉ EUX !...

Et, peu après...

ZIZANIE !!! TU BRONZES TOUTE NUE ?

...POUR LA BONNE CAUSE TONTON !

J'ESSAIE DE FAIRE ROUGIR LES TOMATES !

Oliviero

CROSSE-COUNTRY

BONJOUR, MON ENFANT!

BONJOUR MONSIEUR!

APPELEZ-MOI «MON PÈRE»!

«MON PÈRE»? MAIS VOUS N'ÊTES PAS MON PAPA!

NON, MAIS JE PORTE UNE ROBE!

ET VOUS AVEZ PRIS TOUT ÇA?

OUI MON PÈRE, J'AI VRAIMENT PÊCHÉ!

...TOC-TOC-TOC-TOC-TOC...

VOUS AVEZ VU? UN PIC-VERT!

TSSSSS! ENCORE UN PILLEUR DE TRONCS!

TOC-TOC.

QUE VOULEZ-VOUS DIRE?

RIEN... JE M'EXPRIME SOUVENT PAR PARABOLES!

PAR PARABOLES? VOUS DEVEZ EN CAPTER, DES CHAÎNES!

VOUS SEMBLEZ, MON ENFANT, NE RIEN ENTENDRE AUX CHOSES DE LA RELIGION! ENTRONS ICI UN INSTANT: SI VOUS LE SOUHAITEZ, JE VOUS DONNERAI QUELQUES BASES!

BIEN VOLONTIERS!

IL Y A CEPENDANT UN PROBLÈME: CETTE ROBE EST BEAUCOUP TROP COURTE!

MAIS JE NE PORTE QUE DES ROBES COURTES! C'EST POUR ÊTRE À L'AISE!

CERTES, CERTES, MAIS...

...ET SI JE TIRE DESSUS?

ARRÊTEZ, C'EST PIRE!

TANT PIS, ENTRONS!

C'EST GENTIL, CHEZ VOUS!

ET D'ABORD, QUI FUT LE PREMIER HOMME?

EUH... JE PRÉFÉRERAIS GARDER ÇA POUR MOI!

MAIS VOYONS, MON ENFANT...

CRAC!

VOUS VOYEZ, MON PÈRE: LA CHAIRE EST FAIBLE!!!

UN "PRO" DE L'ÉVASION

SOUCIEUX DE LEURS PROCHAINES VACANCES, ZIZANIE ET AZIMUT SONT ENTRÉS SE RENSEIGNER DANS UNE AGENCE DE VOYAGES...

VEUILLEZ VOUS INSTALLER, JE SUIS À VOUS DANS UNE MINUTE!

TU NE TROUVES PAS QU'IL A L'AIR BIZARRE?

ALLONS, ZIZANIE! NE TE FIE PAS À TA PREMIÈRE IMPRESSION!

JE VOUS ÉCOUTE!

CE QUE NOUS VOULONS, C'EST PARTIR LOIN, PRENDRE DU CHAMP!

PRENDRE DU CHAMP? JE VOIS!... LE DAMIER BRETON, LE BOCAGE VENDÉEN...

NON-NON! CE SONT LES ÎLES QUI NOUS INTÉRESSENT!

L'ÎLE DE LA CITÉ? L'ÎLE SAINT-LOUIS?

NON! NON! PLUS LOIN!

JE VOIS!... VOUS ÊTES TRÈS ANTILLES!

TRÈS GENTILLE? ÇA DÉPEND DES JOURS!

HEUREUSEMENT, MOI, JE SUIS TRÈS PACIFIQUE!

TRÈS PACIFIQUE? ALORS JE VOUS PROPOSE L'ÎLE DE PÂQUES!

L'ÎLE DE PÂQUES ET SES CÉLÈBRES STATUES EN FORME D'ŒUF!

VOUS VOUS Y PRÉLASSEREZ À L'OMBRE DES COQUETIERS GÉANTS!

...ET POURQUOI PAS UN ATOLL?

POURQUOI PAS, EN EFFET? EN CE CAS, JE VOUS RECOMMANDE LA TÔLE ONDULÉE: L'ÉTÉ, C'EST TRÈS CHAUD!

N'ÉCOUTEZ PAS CET HOMME! IL VIENT JUSTE DE S'ÉCHAPPER DE L'ASILE!

ON S'DISAIT AUSSI...

C'EST UN DANGEREUX NÉVROPATHE OBSÉDÉ PAR LA GÉOGRAPHIE!

GRRR!

LE FAIT EST QU'IL DÉMÉNAGE PAS MAL!

HUMF! HUMF!

?

ÇA PAR EXEMPLE! LE VÉRITABLE AGENT DE VOYAGE ÉTAIT DANS LE PLACARD!

Plus tard...

OUI... NOUS AVONS DES DESTINATIONS INTÉRESSANTES!

PAR EXEMPLE L'AUSTRALIE: L'ÎLE DES KANGOUROUS, DES DINGOS...

NON! PAS LES DINGOS!

...OU ALORS TERRE-NEUVE, L'ÎLE DES FOUS DE BASSAN?

AU REVOIR, CHER MONSIEUR!

NOUS ALLONS SANS DOUTE RESTER CHEZ NOUS!

Olivier

CHACUN SON TOUR

C'EST PAS VRAI !!! LES COURS SONT À PEINE FINIS, ET REVOILÀ LES MAÎTRES DES COLS !

PLACÉS AINSI LE LONG DE CETTE CÔTE, ON LES VERRA BIEN SOUFFRIR !

TIENS, JE CONNAIS CETTE TÊTE !..

VOUS ICI, MONSIEUR LE DÉPUTÉ ?

JE SUIS TOUJOURS LÀ OÙ L'ON RENCONTRE DES ÉLEC... ENFIN... DES SPORTIFS !

...ET VOUS PRATIQUEZ VOUS-MÊME LE VÉLO ?

NON... SEULEMENT L'HÉMICYCLE !

BON... VOILÀ LES VOITURES PUBLICITAIRES !

PAS MOYEN D'Y ÉCHAPPER !

JOLICROC

CAFÉ IN'

...C'EST POURQUOI TOUTE COURSE COMMENCE PAR LA FORMULE "À VOS MARQUES" !..

TIENS, UN GOUROU ! Y AURAIT-IL UN CAMP PAS LOIN D'ICI ?

JE NE SAIS PAS, MAIS C'EST SÛREMENT UN ADEPTE DU SIKHISME !

AH ! VOICI LE PREMIER, LE FAMEUX SPRINTER RUSSE ERYTHROPOÏÉTINE !

VAS-Y !

À TON AVIS, COMBIEN A-T-IL D'AVANCE SUR SES CONCURRENTS ?

PEU IMPORTE ! QUAND ON SÈME, ON NE COMPTE PAS !

D'AILLEURS, LES AUTRES ARRIVENT !

VOIR CES MUSCLES SAILLIR SOUS CES PEAUX HÂLÉES, ÇA ME BOULEVERSE !

CALME-TOI, VOYONS !

CETTE FOIS, ON A VU PASSER LE GROS DU PELOTON !

EN EFFET !

POUF !
POUF !

Peu après...

DES EXEMPLES À MÉDITER, PAS VRAI AZIMUT ?

PEUH ! OFFRE-MOI UN VÉLO DE COURSE, ET TU VERRAS !

CAVES ➔

NE FAIS PAS TON GRAND BRAQUÉ, JE TE PRÊTERAI LE MIEN !

LE TIEN ?

BIEN SÛR ! MON VÉLO **POUR FAIRE** LES COURSES !

SUR LA CORDE, HIER...

ZIZANIE ET AZIMUT ONT FINALEMENT CHOISI DE VISITER L'AMÉRIQUE DU SUD.

ILS SE PROMÈNENT DANS LES RUES DE CUZCO...

ÇA AU MOINS, C'EST DÉPAYSANT !

TU AS RAISON ZIZANIE ! LE PAYS EST RESTÉ TRÈS RURAL !

ICI LES FEMMES ONT UNE ALLURE TRÈS PARTICULIÈRE !

JE TROUVE QU'ON LEUR FAIT SOUVENT PORTER LE CHAPEAU !

ESSAIE DONC D'ARRONDIR LES ANGLES ! REGARDE CETTE PIERRE : ELLE EN POSSÈDE DOUZE ! ET ELLE S'AJUSTE SI BIEN AUX AUTRES QU'AUCUN MORTIER N'A ÉTÉ NÉCESSAIRE !

ÇA ME PÉTRIFIE !

MAIS IL N'Y A PAS QUE LES PAYSAGES : IL FAUT SAVOIR OBSERVER LES AUTOCHTONES DANS TOUTE LEUR DIVERSITÉ !

CELUI-CI A L'AIR COSTAUD !

INCA DE FORCE MAJEURE !

MACHU-PICCHU ! MACHU-PICCHU !

CELUI-LÀ ÉTERNUE TOUT LE TEMPS !

INCA MÉDICAL !

CELUI-CI NE SE MÊLE PAS AUX AUTRES !

INCA À PART !

POURVU QUE CE NE SOIT PAS INCA DÉSESPÉRÉ !

TIENS, UN LAMA ! ON NE RENCONTRE CE RUMINANT QUE DANS LES ANDES !

INCA D'ESPÈCE !

AH ! VOICI LE CÉLÈBRE GAG DU LAMA-QUI-CRACHE !..

SÛREMENT INCA DE LÉGITIME DÉFENSE !

SPLASH !

ATTENTION ZIZANIE ! TU OUBLIES TON SAC !

OUPS !

SI JE PERDAIS MES AFFAIRES ICI, CE NE SERAIT PLUS LE PÉROU !

EN EFFET ! ET TU DEVIENDRAIS INCA SOCIAL !

BON ! J'ESPÈRE QUE CETTE FOIS, TU AS FAIT LE TOUR DE LA QUESTION !

NE CROIS PAS CELA, ZIZANIE ! IL RESTERA TOUJOURS...

....L'INCA PAS CITÉ !

OLIVIÉR

TRIBULATIONS BALNÉAIRES

AH! BENZOÏNE! QUELLE JOIE DE SE RETROUVER SUR LE SABLE...

...ET D'ÊTRE ENFIN À L'AISE !

TOI, ON PEUT DIRE QUE TU MÉNAGES TES EFFETS !..

J'AI TOUJOURS ÉTÉ TRÈS FICELLE !

ALLONS VITE NOUS BAIGNER !

J'ENLÈVE MES LUNETTES ET J'ARRIVE !

SEULEMENT TES LUNETTES ? QUEL COURAGE, BENZOÏNE ! PORTER DEUX BONNETS PAR CETTE CHALEUR !..

JE PRÉFÈRE SOUTENIR CE QUE J'AVANCE !

QUELLE PLASTIQUE !

NON_NON! C'EST PAS DU PLASTIQUE !

TU AS VU LE GRAND LARGE ?

LA MER, OU LE GARÇON ?

LA MER, BIEN_SÛR ! QUI SAIT QUEL UNIVERS POÉTIQUE SE CACHE LÀ _ DESSOUS ?

Zizanie ne croit pas si bien dire...

«JE SUIS LE TÉNÉBREUX, LE VEUF, L'INCONSOLÉ, LE PRINCE D'AQUITAINE À LA TOUR ABOLIE...»

QUI C'EST CELUI_LÀ ?

TU NE CONNAIS PAS GÉRARD LE NARVAL ?

MOI, JE PRÉFÈRE BAUDELAIRE : «LA NATURE EST UN TEMPLE OÙ DE VIVANTS PILIERS...»

EXACT, JE LES VOIS !

«...LAISSENT PARFOIS SORTIR DE CONFUSES PAROLES».

LÀ PAR CONTRE J'ENTENDS RIEN !

ATTENDS, TU VAS VOIR !

AÏE !

ÇA PAR EXEMPLE ! JE PEUX ESSAYER, MOI AUSSI ?

MAIS BIEN_SÛR !

OUILLE !

1

MA PAROLE!.. ILS EN PINCENT POUR NOUS!

VIENS, ON NE VA PAS S'INCRUSTACER!

ÇA, ZIZANIE, C'EST LE TUBE DE L'ÉTÉ!

J'EN VEUX PAS, JE VEUX GAGNER LA MÉDAILLE DE "BRONZE".

TU VAS SURTOUT GAGNER UN FAMEUX COUP DE SOLEIL!

TU AS QUELQUE CHOSE CONTRE LES PEAUX-ROUGES?

FLOTCH!

TOI, TU VAS AVOIR DES MARQUES!

ET ALORS?.. AUJOURD'HUI, LES MARQUES SONT TRÈS PRISÉES CHEZ LES JEUNES!

TIENS, VOILÀ LE MARCHAND DE GLACES!

OHÉ!

ALORS? QU'EST-CE QU'IL NOUS PROPOSE?

MOI? EH BIEN...

DES GLACES!

CELLE-CI, RECTANGULAIRE ET TOUTE SIMPLE!..

...CELLE-LÀ, TARABISCOTÉE...

MERCI BIEN! POUR LE LÈCHE-VITRINE, NOUS PRÉFÉRONS ALLER EN VILLE!..

MAIS RESTEZ DONC UN PEU!..

...HISTOIRE DE BRISER LA GLACE!

BRISER LA GLACE? PAS QUESTION, MON STOCK DOIT RESTER INTACT!

ON NE S'ÉTAIT PAS TROMPÉES...

...IL JETTE UN FROID!

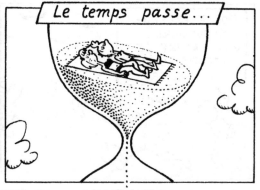

Le temps passe...

MAIS... QU'EST-CE QUE VOUS FAITES LÀ?

HI! HI! ÇA NE SE VOIT PAS?

NOUS NICHONS!

ELLE EST TRÈS DRÔLE, MAIS MAINTENANT ALLEZ-VOUS-EN: JE VEUX ÊTRE MONOCHROME!

ALLEZ HOP, RETOURNEMENT!

CE QUE J'AIME DANS CETTE POSITION, C'EST QU'ON PEUT LIRE!

ÇA VA TE FAIRE UN JOLI Q.I.*!

...ET QU'EST-CE QUE TU LIS?

"L'ÉCUME DES JOURS" DE BORIS VIAN!

* Quotient Intellectuel.

VLOUF!

ET TOI?

"LA MOUETTE" DE TCHÉKHOV!

PLOF!

DANS L'EAU, LES CRABES, DANS LE CIEL, LES MOUETTES, CE N'EST PLUS TENABLE! ALLONS PLUTÔT FAIRE UN TOUR!

D'ACCORD BENZOÏNE, MAIS ENLÈVE CE "HAUT" MOUILLÉ!

TU CROIS? POUR ALLER MARCHER?

MAIS NATURELLEMENT! ÇA TE FERA DES SEINS ANIMÉS!

JE CÈDE SOUS L'AMICALE PRESSION, MAIS...

...ILS SONT ÉNORMES!

ALLONS DONC! ON NE VA PAS SE LANCER DANS LA NANATOMIE COMPARÉE!...

J'HALLUCINE!!! NOUS SOMMES SUIVIES PAR UN TYPE EN COSTUME-CRAVATE!

À TOUS LES COUPS, C'EST POUR MOI!

UN INSTANT MADEMOISELLE, J'AI À VOUS PARLER!

QUI ÊTES VOUS?

ZOU!

JE REPRÉSENTE LA C.E.E.!

QU'EST-CE QUE ÇA VEUT DIRE?

"COMMUNAUTÉ ÉCONOMIQUE EUROPÉENNE."

ET ALORS?..

ET ALORS?.. VOUS N'AVEZ JAMAIS ENTENDU PARLER DES QUOTAS LAITIERS?

FIN

33

TERRAIN BRÛLANT

COMME L'INDIQUE LE PANNEAU, NOUS SOMMES DANS UNE RÉGION DE VIGNOBLE!

COMMENT S'APPELLE-T-ELLE DÉJÀ ?

JE NE SAIS PLUS, J'AI OUBLIÉ MES DOCS !

AH OUI, C'EST ÇA : LE MÉDOC !

...ET MAINTENANT, LA PINÈDE !

ARRÊTONS-NOUS ICI POUR NOUS DÉGOURDIR LES JAMBES !

(...QU'ELLES ONT BELLES !)

TU AS VU ? RISQUE D'INCENDIE !

AVEC NOUS, PAS DE DANGER : ON NE FUME PAS, ON NE BOIT PAS...

...ALLONS PLUTÔT CONVERSER AVEC CE CHARMANT JEUNE HOMME!

BONJOUR! VOUS VENEZ SOUVENT ICI ?

ÇA OUI! LA FORÊT, C'EST MON PIN QUOTIDIEN !

...ET ÇA NE VOUS ENNUIE PAS?

PAS DU TOUT, J'Y SUIS RÉSINIER !

COMPLÈTEMENT RÉSIGNÉ ?

OUI... À PLEIN TEMPS !

ET VOUS-MÊMES, VOUS ÊTES PARISIENNES ?

EUH...

FRANCILIENNES, DISONS !...

PARISIENNES OU PAS, JE VOUS TROUVE PLUTÔT GIRONDES !

ÇA NE VA PAS, NON ?

MAIS, JE...

Toc! Toc!

VOUS ÊTES COMPLÈTEMENT IRRESPONSABLE, OU QUOI?

ON NE DÉCLARE PAS SA FLAMME DANS UNE PINÈDE !

UN ENDROIT PROPICE

C'EST TOI, BENZOÏNE ?.. VISITER UNE EXPO SUR LES PLUS BELLES SCULPTURES DU MONDE ? BIEN VOLONTIERS !

J'EN AI D'AILLEURS ENTENDU PARLER : DES MILLIERS DE FONCTIONNAIRES ONT DÉFILÉ DANS LA RUE AU CRI DE "DÉFENDONS NOS STATUES" !

NOS STATUTS AVEC UN T, ZIZANIE !

JE TE REJOINS SUR PLACE AVEC GROBIZOU !

Peu après...

AH ! VOILÀ LE PENSEUR DE RODIN !

...ET À QUOI PENSE-T-IL, SELON TOI ?

PEUT-ÊTRE SE DEMANDE-T-IL OÙ IL A BIEN PU RANGER SES VÊTEMENTS !..

POUF ! POUF ! POUF !

(SOUPIR)

REGARDE ! SHIVA AU PREMIER PLAN, ET AU FOND LA VÉNUS DE MILO !

BELLE ILLUSTRATION DES INJUSTICES DE LA VIE !..

C'EST TOUT-DE-MÊME DOMMAGE QU'ELLE SOIT INCOMPLÈTE !

...D'OÙ SON NOM DE "VÉNUS DEMI-LOT" !

VOILÀ LE BUSTE D'UNE CÉLÈBRE REINE D'ÉGYPTE !

COMMENT S'APPELAIT-ELLE, DÉJÀ ?

J'AI ENVIE DE FAIRE PIPI !

C'EST ÇA, GROBIZOU ! NÉFERTITI !

VAS-Y, GROBIZOU ! SOULAGE-TOI !

NE FAIS PAS ÇA, PETIT MALHEUREUX !

C'EST L'URINOIR SIGNÉ MARCEL DUCHAMP : UNE ŒUVRE D'ART UNIVERSELLEMENT CONNUE !

ÇA PRESSE, ZIZANIE !

TANT PIS ! PAR LA FENÊTRE !

SURTOUT NE DITES RIEN : IL VOUS MANQUAIT LE MANNEKEN PIS !

...ŒUVRE D'ART UNIVERSELLEMENT CONNUE !

OLIVIÈRO

SOIRÉE BRANCHÉE

DRRIiING!

ALLÔ, OUI ?

ON DIT : "HALLOWEEN" !

TIENS, C'EST GOURMETTE !

ALLÔ OUINE ?

C'EST ÇA GROBIZOU : LA FÊTE IRLANDAISE !

ON LA PRÉPARE CE SOIR À LA "MAISON POUR TOUS", AVANT DE NOUS DISPERSER DANS LES RUES DE LA VILLE ! TÂCHE D'ARRIVER DÉGUISÉ !..

J'AI SEULEMENT TROUVÉ UN BALAI ! C'EST DÉJÀ ÇA...

OH !.. MAIS VOILÀ EXACTEMENT CE QU'IL ME FAUT !

IL DOIT M'ALLER À RAVIR !

NON ?

DIS DONC, TOI ! REMETS IMMÉDIATEMENT À SA PLACE LE MATÉRIEL DE VOIRIE !

VOILÀ, VOILÀ, M'SIEUR L'AGENT ! SURTOUT, PAS DE BAVURE !

PETIT INSOLENT ! ICI IL N'Y A JAMAIS DE BAVURE ! COMPRIS ?

ET LÀ, M'SIEUR ?

LÀ ? ADRESSE - TOI AU DESSINATEUR !

Peu après...

OÙ SE PASSE LA FÊTE D'HALLOWEEN ?

EN SALLE M !

LES SORCIÈRES DE SALLE M ! J'AURAIS DÛ M'EN DOUTER !

BON SUAIRE, M'SIEURS - DAMES !

TE VOILÀ, GROBIZOU ?

J'AI SEULEMENT PU RAMENER UN BALAI !

... ET TOI, UN ASPIRATEUR ???

OUI, CAR JE SUIS UNE JEUNE FILLE PRATIQUE ET MODERNE !

JE CROIS SURTOUT, VU TON ÂGE...

... QUE TU ES ENCORE SORCIÈRE - ASPIRANTE !

POSE TOUJOURS, TU M'INTÉRESSES !..

37

OVIN D'HONNEUR

À LEUR GRANDE SATISFACTION, ZIZANIE ET BENZOÏNE ONT ÉTÉ INVITÉES À UN DÉFILÉ DE MANNEQUINS...

IL S'AGIT DE LA COLLECTION PRINTEMPS-ÉTÉ DE KARL GARDELEST !

TU AS VU ? CE MODÈLE EST PORTÉ PAR LA TRÈS BELLE CLAUDIA CHIFFON !

TU CROIS QU'ELLE EST TOUJOURS AVEC OLIVIER TWIST ?

JE NE SAIS PAS...

CLAP! CLAP!

LE PROBLÈME AVEC LES MAGICIENS, C'EST QU'ILS POSENT BEAUCOUP DE LAPINS !..

CETTE FOIS, C'EST DU STYLE RÉTRO !

LÀ, C'EST POUR SORTIR EN BOÎTE !

...ET LÀ, ELLE A UN BAS QUI FILE !

ici !

C'EST SÛREMENT DE LA SOIE SAUVAGE !

Le défilé se conclut par la traditionnelle robe de mariée, en présence de Karl Gardelest lui-même.

GÉNIAL !

ÉBLOUISSANT !

SUBLIME !

TU AS VU LES ÉNORMES CHAUSSURES QU'ELLE PORTE ?

NORMAL, POUR LES MARIAGES EN GRANDES POMPES !

Lors du pot de clôture, le grand couturier est difficile à approcher...

MONSIEUR GARDELEST !

BLA BLA BLA BLA BLA BLA

KARL !

COMMENT DEVIENT-ON TOP-MODEL ?

CONTACTEZ UNE AGENCE ET PRÉSENTEZ-LEUR VOTRE BOOK* !

* sorte d'album-photo à usage professionnel.

JE CROIS QUE JE VAIS PASSER LE PROCHAIN WEEK-END CHEZ MON TONTON DE LA CAMPAGNE !...

???

Et, 8 jours plus tard...

PANETT
—
AGENCE DE MANNEQUINS

MONSIEUR LARNAK VA VOUS RECEVOIR DANS UN INSTANT !

SCRITCH ! SCRITCH !

QUE FAIT CET ANIMAL DANS MON BUREAU ?

MAIS Mᶜ LARNAK... CONFORMÉMENT AUX USAGES...

...JE SUIS VENUE VOUS PRÉSENTER MON BOUC !

3 3 3 3 3 3

Oliviéro

LÉZARDS PLASTIQUES

BONNE IDÉE, CETTE VISITE D'UN "JURASSIC PARK" !

AVEC DES MONSTRES EN RÉSINE SYNTHÉTIQUE, PAS DE DANGER !

DOMMAGE !..

VOUS AVEZ VU, SUR CE ROCHER ? UN PTÉRODACTYLE !

ÇA, JE CONNAIS : J'EN VOIS PLEIN AU BUREAU !

TAP! TAP! TAP!

ptérodactylo.

CURIEUX, CE PARASAUROLOPHUS : SON EXCROISSANCE CRÂNIENNE LUI SERVAIT À AMPLIFIER SA VOIX !

POMP !

ÇA DEVAIT DONNER À-PEU-PRÈS ÇA !

AH! EN VOILÀ UN GRAND ET FORT COMME JE LES AIME !

BOF !..

TU PARLES !.. LE BRACHIOSAURE ÉTAIT UN HERBIVORE : UNE SORTE DE GROSSE VACHE DE L'ÉPOQUE !

DINO, C'EST PAS ITALIEN, COMME PRÉNOM ?

ON DÎNE ENSEMBLE, UN DE CES SOIRS ?

IMPOSSIBLE, IL DÎNE AUX AURORES !

SI TU EN CHERCHES UN VRAIMENT GRAND ET FORT, ALLONS VOIR LE TYRANOSAURE ET SES TERRIBLES DENTS !

EN FAIT, IL N'ÉTAIT PEUT-ÊTRE PAS SI PRÉDATEUR QUE ÇA !..

PEUH! TOUT JUSTE UN TISANOSAURE !

ALORS ÇA T'A PLU, ZIZANIE ?

LAISSE-MOI UN PEU TRANQUILLE !

MAIS... POURQUOI ?

C'EST COMME ÇA : PAS DE PAPOUILLES !

IL FAUT L'EXCUSER, AZIMUT !..

ELLE EST ENCORE DANS LES ÂGES FAROUCHES !

!

OLIVIÉRO

ici, TOILE AU MAÎTRE

TU VERRAS, ZIZANIE : C'EST UN PETIT MUSÉE, MAIS QUI CONTIENT DES ŒUVRES INTÉRESSANTES !

J'ESPÈRE SURTOUT QUE ÇA INTÉRESSERA GROBIZOU !

DEUX ADULTES ET UN ENFANT, S'IL VOUS PLAÎT !

?

VOUS NOUS FAITES UNE VISITE GUIDÉE ?? — POUR UNE FOIS QU'IL VIENT DU MONDE...

DANS CETTE SALLE, VOUS POURREZ VOIR UN BOUDIN, UN POUSSIN ET UN BUFFET !

BIGRE ! LE POUSSIN NE VA PAS ÊTRE FACILE À TROUVER ! — LE BOUDIN NON PLUS !

NE CHERCHEZ PLUS ! BOUDIN, POUSSIN ET BUFFET, CE SONT LES NOMS DES PEINTRES ! — OH !

ET MAINTENANT, LA SALLE DES COROT ! — JE NE VOIS PAS LE MOINDRE CORAIL PAR ICI !

BIEN SÛR QUE NON ! VOUS N'AVEZ JAMAIS ENTENDU PARLER DE CAMILLE COROT ?

...DES ALBUMS « JEANNINE ET COROT » ? — EUH... PEUT-ÊTRE !

ICI, UN TOULOUSE-LAUTREC ! — OH MOI, LES MATCHS !...

...ET POUR FINIR, TROIS GRANDS PEINTRES DU XXᵉ SIÈCLE : MAGRITTE, MATISSE ET MONDRIAN.

CES ŒUVRES SONT AUSSI UN PEU LES NÔTRES, JE CROIS !... — TOUT À FAIT, PUISQU'ELLES APPARTIENNENT À L'ÉTAT !

POURQUOI CETTE QUESTION ? — POUR RIEN !... AU REVOIR ET MERCI !

« MA GRITTE, MA TISSE, MON DRIAN »... CE QU'IL EST POSSESSIF !!!

VICTIME DE LA MODE

TE VOILÀ BIEN FRINGANTE, ZIZANIE !

NORMAL, AZIMUT ! JE ME SUIS ACHETÉ DE NOUVELLES FRINGUES !

JE T'EN PROPOSE D'AILLEURS UN RAPIDE TOUR D'HORIZON !

CHOUETTE !

...ET D'ABORD, CETTE TENUE DE PLEIN ÉTÉ !

VOYONS !...

PAS MAL LA CEINTURE !

CE N'EST PAS UNE CEINTURE, C'EST UNE JUPE COURTE !

COMMENT TU LA TROUVES ?

COURTE !

ET MON PETIT "HAUT", COMMENT TU LE TROUVES ?

PETIT !

AVEC TON NOMBRIL À L'AIR, TU ME RAPPELLES GROBIZOU !

ET ALORS ?.. TU N'AIMES PAS LES CENTRES AÉRÉS ?

NOUS ALLONS MAINTENANT PASSER À QUELQUE CHOSE DE PLUS HABILLÉ !

UNE ROBE LONGUE ?

EXACT !

COMMENT TU LA TROUVES ?

DÉCOLLETÉE, ZIZANIE ! TU L'AS MISE À L'ENVERS !!!

AH BON ? TU CROIS ?

SI TU VAS COMME ÇA DANS LES DÎNERS EN VILLE, LES FOURCHETTES NE TROUVERONT PLUS LE CHEMIN DES BOUCHES !

JE POURRAI TOUJOURS NOUER MA SERVIETTE AUTOUR DU COU !..

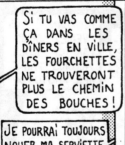

TU PRÉFÈRES ÇA ?

FRANCHEMENT, OUI !

PFOUH !

J'ESPÈRE TOUT DE MÊME QU'ELLE MET EN VALEUR MON BRONZAGE DE L'ÉTÉ DERNIER : DES SEMAINES D'EFFORT !

N'EXAGÉRONS RIEN !..

ET MAINTENANT UNE SURPRISE !

JE M'ATTENDS AU PIRE !

Peu après, aux urgences...

SOYEZ COURAGEUSE, MADEMOISELLE ! VOTRE AMI A PERDU CONNAISSANCE, MAIS NOUS ALLONS LE FAIRE "REVENIR" D'UN INSTANT À L'AUTRE !

MAIS QUE S'EST-IL PASSÉ AU JUSTE ?

PRESQUE RIEN, DOCTEUR ! J'AI SEULEMENT VOULU LUI MONTRER...

...MA ROBE "DERNIER CRI" !

OLIVIÉRO

UN SUJET À CREUSER

 Azimut ! — Moui ?

 Est-ce que tu m'aimes? — Mais bien sûr!

 Mais qu'est-ce que tu aimes en moi ? — Tout !

 Tout, ce n'est pas assez: je veux des détails ! — Pas moyen de lire !..

 Alors voilà... J'aime tes cheveux, tes yeux, ton nez, ta bouche, ton cou, tes épaules, tes... — ASSEZ !!!

 Tant de matérialisme me rend malade !

 Effectivement, le lendemain... — Que vous arrive-t-il, mademoiselle Zizanie ? — Je me traîne, docteur !

 Si vous voulez bien vous hisser jusqu'à cette chaise...

 Comment vous sentez-vous ? — Toute barbouillée !

 Ce n'est peut-être pas si grave: juste un coup de fatigue de votre dessinateur !..

 En effet, j'ai déjà meilleure mine ! — Vous voyez !

 Kof ! Kof ! — ...Mais d'où vient ce vilain bruit ? — La toux pique, docteur !

 Contre elle, nous avons une carte à jouer : je vais vous envoyer chez Oscar Tila-Gineux, un radiologue de mes relations !..

 Quelques jours plus tard... — Comment trouvez-vous mon bronzage de l'été dernier? — Ravissant ! Mais venez donc par ici, nous allons faire des photos X !

 Des photos X ? — Je veux dire, des radiographies !

 Et, le soir même... — Désormais Azimut, je veux être aimée...

 ...Pour ma beauté INTÉRIEURE !!!

12

DANSE AVEC LES LOUPS

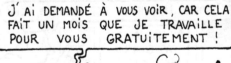

ZIZANIE SAUTE UN REPAS

44

SUPERPRODUCTION

ZIZANIE À DOMICILE

PFFFF!.. ONZE STATIONS DEPUIS LA GARE DU NORD, AVEC UN INDIVIDU QUI ME FAIT DU PIED!...

VOUS SAVEZ OÙ JE VAIS ? CHEZ MON AUTEUR!!! SI_SI, OLIVIÉRO! IL VA AVOIR LA SURPRISE DE SA VIE!

MIGNONNE, LA PETITE GARE!

BON, J'Y SUIS! PLUTÔT QUE DE SONNER, JE VAIS LE SURPRENDRE CÔTÉ JARDIN!

OUPS! GARE AUX DÉJECTIONS CANINES!

HI!HI! JE LE VOIS AU TRAVAIL! COMME IL SE TIENT MAL! ET QU'EST-CE QU'IL FAIT COMME GRIMACES!

MAIS ATTENTION, IL N'EST PAS DÉBILE : IL PREND SEULEMENT LES EXPRESSIONS DES PERSONNAGES QU'IL DESSINE!...

...MAIS QUI PEUT BIEN FAIRE UNE TÊTE PAREILLE?.. MOI?

HAN! ESSAYONS DE MONTER DISCRÈTEMENT!

JE SAIS QUE JE NE SUIS PAS EN TENUE POUR FAIRE ÇA, MAIS VOUS N'ÊTES PAS OBLIGÉS DE REGARDER!!!

HI!HI! IL N'A TOUJOURS RIEN REMARQUÉ!

ET VOILÀ! J'EN AI TERMINÉ AVEC CETTE PLANCHE DE ZIZANIE!

MOI? UNE PLANCHE? NON MAIS TU M'AS BIEN VUE? ZIZANIE??? MA CRÉATURE???

"CRÉATURE", À PRÉSENT? C'EN EST VRAIMENT TROP!

N'APPROCHE PAS, ZIZANIE! J'AI DANS LA MAIN L'ARME ABSOLUE : UNE BOUTEILLE DE LIQUIDE CORRECTEUR!

Plus tard, au restaurant...

IL FAUT M'EXCUSER, JEAN-CLAUDE! COMME TOUS LES HÉROS DE PAPIER, JE ME FROISSE FACILEMENT!

BIEN_SÛR, ZIZANIE!... ENCORE QUELQUES BULLES?

46

le docteur

Karl Gardelest

Lucas Zanova

Claudia Chiffon

Gourmette

OLIVIÉRO

Jean-Claude **OLIVIÉRO** est né en 1959 en Algérie, puis a passé son enfance en Auvergne. Comme son nom ne l'indique pas, il est breton.

Quoique titulaire d'un diplôme d'ingénieur des travaux publics, il exerce comme professeur de sciences physiques dans un lycée du Val d'Oise. Cette dernière occupation lui a laissé le temps de "placer" quelques dessins d'humour dans l'"Almanach Vermot" et le "Détective", ainsi que des dessins d'actualité, pendant 6 ans dans le "Pélerin". Il lui arrive aussi d'être peintre du dimanche, voire d'un autre jour de la semaine.

C'est en 1998 qu'il s'est véritablement mis à la B.D. sous l'impulsion de Jean Tabary. Le résultat en est le présent album de ZIZANIE.

Mc Bulldozer

Azimut

Christ_Alain

la prof

Marcel Atrou

un député

Jean_Aymar

Zizanie

un oiseau

Dépôt légal 4ème trimestre 2001

Éditeur N°46

Tous droits de traduction, de reproduction et d'adaptation
strictement réservés pour tous pays.

© EDITIONS TABARY et OLIVIÉRO 2001

Directrice Colette Tabary.

Imprimé en France
par *Partenaires-Livres*® / cl